I hope you enjoy "la historia" Adriana

ELEFANTES AL RESCATE

ELEPHANTS TO THE RESCUE

POR / BY **ADRIANA PACHECO**
ILUSTRADO POR / ILLUSTRATED BY **MIKE PHI**

We all know Grandma's pink bag. We also know that something magical happens every time it comes out. The pink bag is hidden somewhere in the closet, where only she knows, and though it looks quite small it holds something that can do the most incredible things you can imagine.

Todos conocemos la bolsa rosa de la abuela. También sabemos que algo mágico sucede cada vez que sale. La bolsa rosa está guardada en algún lugar del closet, donde solo ella sabe, y aunque se ve muy pequeña, guarda algo que puede hacer las cosas más increíbles que te puedas imaginar.

One day, something fantastic happened. Grandma Lupita
and Grandpa Pepe had invited all the family to visit a coffee
plantation. We knew the trip was going to be exciting because
we had never been to a place like that. We wanted to get to the
highest point in order to see the whole plantation from there.
"Let's go! I know it's a beautiful, almost magical place nestled in
the mountains," said Grandpa Pepe. "And although I have never
been there, I think we'll love it."

Un día, pasó algo fantástico. La abuela Lupita y el abuelo
Pepe habían invitado a toda la familia a visitar una finca de
café. Sabíamos que el paseo iba a ser emocionante pues nunca
habíamos ido a un lugar así. Queríamos llegar hasta la parte
más alta para ver desde ahí todo el cafetal.

¡Vamos! Sé que es un lugar hermoso, casi mágico entre las
montañas –nos dijo el abuelo Pepe–. Y aunque nunca he ido,
creo que nos encantará.

Grandpa offered to drive us in his truck because it was larger than Dad's car, and we would fit much better. The road was narrow and there were many curves. The fog covered everything and we couldn't see well.

"How will we know when to stop with all this fog?" asked Margarita.

"Don't worry, it will soon lift," Grandpa Chiton comforted her.

El abuelo ofreció llevarnos en su camioneta porque era más grande que el coche de Papá y cabríamos mejor. El camino era estrecho y había muchas curvas. La neblina cubría todo y no podíamos ver bien.

¿Cómo vamos a saber cuándo parar con toda esta neblina? preguntó Margarita.

No te preocupes, pronto va a pasar —la tranquilizó el abuelo Chitón.

When we got to our stop, we got out of the car and started to walk on a path between the coffee plants. Grandpa Chiton and Grandpa Pepe were ahead with Bobby, talking about other places they knew. Behind them, Mom and Dad were fascinated with the red and yellow cherries of the coffee plants. Margarita and I were holding our grandmothers' hand as we walked.

Cuando llegamos a nuestra parada, bajamos del coche y comenzamos a caminar por una vereda entre las plantas de café. El abuelo Chitón y el abuelo Pepe iban adelante con Bobby, hablando de otros lugares que conocían. Atrás de ellos mamá y papá estaban fascinados con las cerezas rojas y amarillas de las plantas de café. Margarita y yo íbamos tomados de las manos de nuestras abuelas mientras caminábamos.

"Hurry up. You are falling behind," said Dad.
"We're coming, we're coming," we answered.
Suddenly, we realized that the fog had returned and that we had gotten separated from the others.
"Do you know where the others are?" asked Grandma Lupita.
"Daaad! Mooom!" Margarita and I shouted.
"Pepeeee! Chitooon!" shouted our grandmothers, but nobody answered.

—Apúrense. Se están quedando atrás —dijo papá.

—Ya vamos, ya vamos —contestamos.

De repente, nos dimos cuenta que la neblina había regresado y que nos habíamos separado de los otros.

—¿Saben dónde están los demás? —preguntó la abuela Lupita.

—¡Papááá! ¡Mamááá! —gritamos Margarita y yo.

—¡Pepeee! ¡Chitóóón! —gritaron nuestras abuelas, pero nadie contestó.

We were lost!

"Don't worry, kids. Let's walk hand in hand and try to follow this path. It will surely take us to the others."

Grandma Lupita asked us to sing a song so the others could hear us.

"Do you know any fun songs?" she asked, but none of us could come up with any. We could only think about not being familiar with that place, and not knowing which way to go.

¡Estábamos perdidos!

—No se preocupen niños. Caminemos de la mano y tratemos de seguir esta vereda. Seguro nos llevará hasta los demás. La abuela Lupita nos pidió que cantáramos una canción para que los otros nos pudieran escuchar.

—¿Saben alguna canción divertida? —nos preguntó, pero a ninguno se nos ocurrió nada. Solo podíamos pensar en que no conocíamos ese lugar y que no sabíamos por dónde ir.

Then we saw the silhouette of a man in the distance.
"He's a coffee picker," said Grandma Abby. "He surely knows this place well."
We all ran towards him to ask for help.
"Sir, can you help us? We don't know where we are," said Grandma Lupita.
The man was absorbed in his work and didn't answer.

ntonces vimos la silueta de un hombre a lo lejos.
Es un pizcador –dijo la abuela Abby–. Seguro él conoce bien
ste lugar.
odos corrimos para pedirle ayuda.
Señor, ¿Nos puede ayudar? No sabemos en dónde estamos
dijo la abuela Lupita.
l hombre estaba muy entretenido con su trabajo y no
os contestó.

Grandma Abby put her hand in her pocket and slowly took ou
the famous pink bag. Margarita and I looked at each other,
knowing something was going to happen.

Abby approached the coffee picker and told him she had a
gift for him. The man extended his hand, and she gave him
something tiny that immediately started to grow larger.

"What is this?" he asked.

"An elephant," answered Abby calmly.

"An elephant! Who would think of bringing an elephant to
this place?" said the man, surprised.

La abuela Abby metió su mano en su bolsillo y sacó lentamente la famosa bolsa rosa. Margarita y yo nos vimos uno al otro, sabiendo que algo iba a pasar.

Abby se acercó al pizcador y le dijo que tenía un regalo para él. El hombre extendió su mano y ella le dio algo diminuto que al momento comenzó a crecer.

—¿Qué es esto? —le preguntó.

—Un elefante —contestó Abby tranquilamente.

—¡Un elefante! ¿A quién se le ocurre traer un elefante a este lugar? —dijo el hombre, sorprendido.

"Now that I think about it," said the man, "I've seen elephants in the circus that comes to town once a year."
"Well, my elephants live in this pink bag," said Abby.
The man looked at it with surprise, since he could not believe that an elephant so big could have come out of a bag so small
He shrugged, but, charmed by Abby's gift, agreed to lead us on that path he knew so well.

Ahora que lo pienso –dijo el señor–, he visto elefantes en el
circo que viene al pueblo una vez al año.
–Pues mis elefantes viven en esta bolsa rosa –dijo Abby.
El hombre la vio sorprendido pues no podía creer que un
elefante tan grande pudiera haber salido de una bolsa tan
pequeña. Se encogió de hombros pero, encantado con el
regalo de Abby, aceptó guiarnos por ese camino que él conocía
tan bien.

We all breathed a sigh of relief for having met that man and began to follow him. After a while, the fog started to lift and we could see a marvelous sight.

"This is fabulous," declared Grandma Abby.

"I knew this trip would be worth it," said Margarita.

"Well, now that it's clearing up, you will have to go your own way," said the coffee picker. "It's tradition that those who visit the plantation have to find their own way."

"No, please don't go, sir," I said trying to convince him, but he only smiled and waved goodbye.

Todos respiramos aliviados por haber conocido a ese hombre
y comenzamos a seguirlo. Después de un rato, la niebla
comenzó a desaparecer y pudimos ver una vista maravillosa.
—Esto es fabuloso —exclamó la abuela Abby.
—Sabía que este paseo iba a valer la pena —dijo Margarita.
—Bueno, pues ahora que está más claro, tendrán ustedes que
seguir por su lado —dijo el pizcador—. Es costumbre que los que
vienen al cafetal tienen que encontrar su propio camino.
—No, no se vaya señor —dije yo tratando de convencerlo, pero
él sólo sonrió y nos dijo adiós.

Grandma Abby also tried to convince him to stay a bit longer, but it didn't work.
We started to walk. We didn't find the others, but we found a section of the plantation with very tall plants, all loaded with lots of coffee. Our grandmothers looked at them, and Margarita and I tried the cherries, which tasted as sweet as honey.

También la abuela Abby trató de convencerlo de que se quedara
un poco más, pero no funcionó.

Comenzamos a caminar. No encontramos a los otros pero
encontramos una parte de la finca con plantas muy altas, todas
cargadas de mucho café. Nuestras abuelas las veían y Margarita
y yo probábamos las cerezas, que sabían dulces como la miel.

Suddenly we realized it was getting dark, and we decided to walk faster. Margarita suggested taking another road, since she had heard something in the distance.

"I think we should follow that noise," she told us. "It might lead us to the others."

When it was dark and it became difficult to see, Grandma Abby opened the pink bag again. Amazed, we saw how she pulled out an elephant that suddenly shone like a star in the dark.

"Wow!" I said. "Now we can see where we are."

De repente nos dimos cuenta que se oscurecía y decidimos
caminar más rápido. Margarita sugirió que tomáramos otro
camino, pues había escuchado algo a lo lejos.

Creo que deberíamos seguir ese ruido –nos dijo–. Podría
llevarnos hasta los demás.

Cuando se hizo de noche y era difícil ver, la abuela Abby
abrió de nuevo la bolsita rosa. Sorprendidos vimos cómo
sacaba un elefante que de repente brilló como una estrella en
la oscuridad.

¡Wow! –dije yo–. Ahora podemos ver dónde estamos.

The light shone on everything, and as we were about to take one more step, we realized that we were at the edge of a big cliff.

"Yikes!" we all said at once.

"We almost fell down that cliff, but your elephant has saved us," said Grandma Lupita.

After calming down, we took another path towards the noise that Margarita said she had heard.

"Yes! Look over there! Something moves!" I shouted.

a luz iluminó todo y en el momento que íbamos a dar un
aso más, nos dimos cuenta que estábamos parados junto a
na gran barranca.

¡Ay, ay, ay! —dijimos todos a la vez.

Estuvimos a punto de caer en este precipicio, pero tu elefante
os ha salvado —dijo la abuela Lupita.

espués de recuperarnos del susto, tomamos otro camino
acia los ruidos que Margarita dijo que había escuchado.

¡Sí! ¡Miren por allá! ¡Algo se mueve! —grité yo.

At that moment, Bobby came out from between the coffee plants, barking and wagging his tail.

"We've found them!" we cried at once.

"Kids! Abby! Mom!" said my mom.

"Where have you been?" asked Dad.

"Well, it looks as if we got lost," I said, "but, you know what? We are safe, because some elephants came to the rescue!"

n ese momento, Bobby salió entre las plantas de café,
drando y moviendo la cola.

i Los hemos encontrado! —gritamos todos a la vez.

i Niños! ¡Abby! ¡Mamá! —dijo mi mamá.

¿Dónde han estado? —preguntó papá.

Pues tal parece que nos perdimos —dije yo— pero ¿saben una
osa? ¡Estamos bien, porque unos elefantes vinieron al rescate!

... Y COLORÍN, COLORADO ESTE
CUENTO SE HA ACABADO.